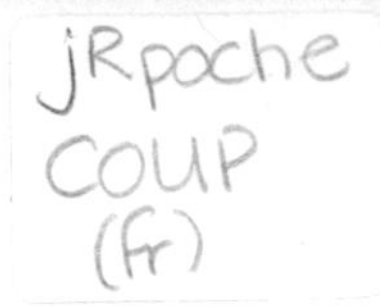

COUPS DE COEUR

Collection dirigée par
Michèle Gaudreau

COUPS DE COEUR

NICOLE M.-BOISVERT
CHRISTIANE DUCHESNE
MICHÈLE MARINEAU
MICHEL NOËL
SONIA SARFATI

Données de catalogage avant publication (Canada)

Vedette principale au titre:

Coups de coeur

(Grande nature)

ISBN 2-89435-069-4

1. Histoires pour enfants canadiennes-françaises - Québec (Province). 2. Nature - Récits. I. Boisvert, Nicole M., 1941- . II. Collection.

PS8329. C69 1995 jC843'.0108054 C95-941081-3
PS9329. C69 1995
PQ3916.C69 1995

Illustrations: Rollande Goudreault

Photocomposition: Tecni-Chrome

ISBN 2-89435-069-4
Dépôt légal - Bibliothèque nationale du Québec, 1995

C.P. 340, Waterloo (Québec)
Canada J0E 2N0
Tél.: (514) 539-3774

1 2 3 4 5 6 7 8 9 0 I M L 9 8 7 6 5

METROLITHO Sherbrooke (Québec)

IMPRIMÉ AU CANADA SUR PAPIER ALCALIN

La mort blanche

SONIA SARFATI

À Jean-Pierre

Printemps

Doug regarde la lame qu'il tient entre ses mains.

Lame de métal, froide, dont l'éclat glacé jette sporadiquement des éclairs menaçants.

Lame affûtée, coupante.

Lame blessée par trois taches rougeâtres, qui rappellent qu'elle a déjà servi. Et qu'il a fait preuve de laisser-aller au moment du nettoyage. Il doit être plus prudent à l'avenir et l'essuyer avec plus d'attention. Elle a trop de valeur à ses yeux pour être ainsi négligée.

Chaque fois qu'il la tient entre ses mains, comme il le fait maintenant, il ressent la même exaltation, le même sentiment de puissance. Dans quelques minutes, grâce à elle, il ne sera plus un être anonyme se démenant parmi des milliards d'autres. Il sera différent. Puissant.

À cette pensée, sa main effleure la lame. Sensuellement. Amoureusement. Le tranchant en est parfait. Pas étonnant: il l'a aiguisée lui-même. Comme il le fait toujours. Il serait beaucoup trop risqué de confier cette tâche à quelqu'un d'autre.

Avec un soupir, il note que le métal se réchauffe tranquillement sous ses doigts. Comme s'il prenait vie. Comme si lui, Doug Boardman, lui donnait vie.

Mais, en fait, n'est-ce pas véritablement ce qui se passe? Que serait-elle, la lame, sans lui? La même chose que lui sans elle. Rien.

Sa gorge se noue, douloureuse, comme à chaque fois qu'il se fait cette réflexion. Rien. Pendant trop longtemps, il n'a été que cela. Qu'une enveloppe corporelle habitée par un grand rien. Un rien gigantesque. Grotesque.

À eux deux, ils ont changé l'ordre des choses.

– Allez, Doug! On y va!

Lentement, il émerge. Le regard encore vague, il observe les autres, leurs mouvements. Le silence cotonneux qui avait envahi sa tête le quitte. Remplacé par un bourdonnement sourd et confus. Puis, par des sons si francs qu'ils en deviennent douloureux. Les mots, les bruits de Peter, de Mick, de Chris. Qui, eux aussi, se préparent.

Mais ils ne semblent pas avoir besoin, comme lui, de ces instants de communion. De ces instants qui, pour lui, sont aussi précieux que ceux où il passe à l'acte.

Aussi précieux, oui. Surtout aujourd'hui.

Aujourd'hui, l'adversaire lui est totalement étranger. À lui, et aux trois autres. Personne ne l'a encore affronté. Personne ne l'a étudié. Personne ne le connaît.

Duel avec l'inconnu.

Poussée d'adrénaline. Crispation des mâchoires. Étau glacé sur la nuque. Sueur sur le front. Rage.

Ou peur, plutôt ? Non ! Non ! Pas la peur ! Surtout, pas la peur. Vite, se ressaisir !

Un dernier regard sur l'alliée de métal. Qui, à cet instant, lance un éclair bleu.

Froid comme la mort ?

Chaud comme la vie, se persuade Doug.

Mécaniquement, ses doigts quittent la lame. Effleurent le manche du piolet, se glissent dans la dragonne.

Puis, il se lève. Va rejoindre ses compagnons, le pas ralenti par l'équipement. Corde, crampons, mousquetons, vis à glace... On n'affronte pas à mains nues un adversaire de la taille de la Nanda Devi, la montagne aux cent visages.

Surtout par une nouvelle voie.

Été

L'amphithéâtre est noir. De monde et d'absence de lumière.

La voix du vieil alpiniste est sereine, feutrée. Teintée d'un accent indéfinissable. Son visage est indéchiffrable. Marqué par le froid, buriné par le vent, patiné par le temps. Son regard est étrange. Tantôt présent et perçant, tantôt lointain et flou.

Flou? Fou, plutôt. C'est du moins ce que pensent les hommes et les femmes qui assistent à la conférence, médusés par la tournure des événements. Le «vétéran de l'Himalaya», comme on l'a surnommé, devait parler de la montagne, de ses ascensions, de ses victoires. Il s'attarde sur ce qui semble une aberration, un délire.

« On en retrouve trois catégories, explique-t-il. Dans les forêts situées à 3 000 mètres d'altitude, vit le *Thelma*. C'est une sorte de singe de petite taille au pelage roux, gris ou noir. Un peu plus haut, à 3 400 mètres environ, s'est installé le *Duzu-Teh*, un genre d'ours végétarien à fourrure blonde, rousse, noire ou grise.

« Mais le plus fascinant des trois est le *Mih-Teh*, dont on a trouvé des traces à plus de 4 000 mètres d'altitude. C'est un bipède de la taille d'un homme, au crâne pointu. Une crinière épaisse tombe devant les yeux du mâle. Il est carnivore, probablement dangereux et... aurait les pieds inversés. »

Moment d'hésitation.

« Je devrais plutôt dire qu'il A les pieds inversés. En voici la preuve. »

Comme dans un immense clin d'oeil, l'image de l'Everest disparaît de l'écran de projection. Cédant la place à deux empreintes de pieds. Nus. Marquant profondément la neige.

Des pieds très grands, si on les compare à la botte que le photographe a volontairement placée à proximité, au moment du cadrage. Elle appartient pourtant à un géant. Celui qui, depuis une heure, se raconte.

«J'ai pris cette photo lors de ma dernière expédition. Pour moi, elle vaut tous les sommets.»

Vibrante, la voix.

Embarrassés, ceux qui la reçoivent.

À une exception. Doug. Les paroles du vétéran trouvent écho en lui. Soudainement. Inexplicablement. Ainsi naissent toutes les passions.

C'est par les mêmes mots, l'un à haute voix, l'autre dans un murmure, qu'ils concluent la conférence, les yeux rivés à l'écran de projection.

«L'empreinte du Yéti.»

Automne

– **C**'est une chance à ne pas rater, Doug ! Simpson s'est cassé la jambe en ski, tu n'as qu'à dire oui et tu le remplaces dans l'Expédition Ultima. L'Everest, mon vieux ! L'Everest, pour toi, dans cinq semaines !

Chris s'impatiente. L'impassibilité de son ami l'énerve au plus haut point.

– Jamais plus, se contente de répéter Doug pour la énième fois.

Flash-back.

La Nanda Devi, au printemps. La nouvelle voie. Le sommet. La victoire.

Et la riposte, sournoise. La montagne crachant sa haine en une pluie de glace et de pierre. La montagne avalant les alpinistes. Proies dérisoires, oui. Mais hantées par la vie.

Les entrailles du monstre avaient été ouvertes à coups de piolets et de crampons.

Trois hommes avaient survécu à « la mort blanche ». Trois hommes étaient retournés au camp de base.

Il manquait le quatrième.

Il manquerait à tout jamais.

À Doug en particulier. Peter et lui étaient compagnons de cordée depuis dix ans. Depuis les débuts. Ensemble, ils avaient gagné en habileté, en technique. Et en confiance en eux.

Ce sentiment de puissance qui envahissait Doug lorsqu'il se trouvait sur une paroi de roche ou de glace !

Illusion, que cela... se disait-il aujourd'hui.

Il n'avait été que faiblesse et insignifiance lorsque la corde qui le reliait à Peter avait cédé. Lorsque Peter avait été balayé de la paroi. Lorsque Peter avait été avalé par la crevasse.

Il n'avait été que faiblesse et insignifiance lorsqu'il avait couru vers le gouffre béant au fond duquel Peter était étendu. Lorsqu'il avait tendu la main à Peter. Lorsqu'il avait vu le sang qui poissait les cheveux noirs de Peter. Lorsque la crevasse avait ouvert ses mâchoires plus grand encore, sur l'abîme sans fin dans lequel Peter avait disparu.

La montagne avait trahi Doug.

Piétiné, le pouvoir qu'il puisait en son sein ! Anéantie, la confiance qu'il bâtissait sur ses flancs. Envolée, la puissance qu'il forgeait d'une ascension à l'autre, d'une victoire à l'autre.

« Jamais plus... », avait affirmé l'alpiniste après l'accident. Et il était parvenu à s'en convaincre. Jusqu'à maintenant.

– C'est à cause de Peter ? insiste Chris. J'ai dit la même chose lorsque Jenny...

L'homme ne termine pas. N'a pas besoin de terminer. Tous ses copains connaissent la fin de la phrase. La fin de l'histoire. Chris et Jenny, compagnons de cordée, compagnons de vie. Jusqu'à la chute mortelle. La belle à la chevelure d'or s'était écrasée au pied du Yosemite.

Il y avait cinq ans de cela.

« Plus jamais », avait alors dit Chris. Lui aussi. Il avait tenu parole pendant deux mois. Peut-être trois. Puis il était retourné à la montagne. Elle ne pouvait plus rien lui prendre. Sinon sa vie. Mais peu lui importait, à présent.

– Peter ou pas, tu finiras par répondre de nouveau à l'appel des sommets, ajoute alors Chris à l'intention de Doug.

– C'est pas seulement Peter, admet finalement le plus jeune des deux alpinistes. C'est moche ce que je vais dire mais... tu le sais aussi bien que moi, ce qu'il répétait toujours, Peter ! « J'aime mieux mourir à 30 ans après avoir vraiment vécu, que crever à 80 sans avoir rien fait. » Dans le fond, c'est son destin qui a parlé. Personne n'y pouvait rien.

– Alors ? demande Chris. Pourquoi tu ne viens pas ?

– « La mort blanche », répond Doug. Les avalanches, quoi ! Ces foutues avalanches, qui me rendent fou.

Depuis le drame, elles hantent chacun de ses rêves. Nuit après nuit, elles l'étouffent dans leurs bras froids comme la mort. L'engloutissent dans leur ventre glacé comme le néant. Se nourrissent de ses gémissements.

Chris hoche la tête. Il connaît aussi cette terreur viscérale qui s'abat sur les hommes auxquels la montagne a laissé une chance.

– Tu dois venir avec nous, dit-il simplement. Et regarder ta peur en face.

Hiver

Doug sursaute et ouvre les yeux. Tout est noir autour de lui. Où est-il ? Pourquoi ne peut-il pas bouger ? Pourquoi cette difficulté soudaine à respirer ?

Respirer... Bien sûr ! C'est l'altitude. C'est l'Everest. Comment a-t-il pu oublier la montagne !

Car il avait finalement accepté l'invitation de Chris. Pour surmonter sa terreur, avait-il dit aux uns. Pour tenter le sommet, avait-il dit aux autres.

Et, aussi, pour vivre une possible « rencontre du troisième type ». Avec le Yéti.

De cette obsession, qui avait germé en lui cet été pendant la conférence donnée par « le vétéran de l'Himalaya », il n'avait bien sûr parlé à personne. Surtout pas à ses compagnons de montagne, de peur de se faire traiter de crétin (ce qu'il était peut-être, dans le fond).

Mais, après tout, n'avait-on pas découvert, quelque part en Australie, un arbre datant de la préhistoire, que l'on croyait disparu depuis des millénaires ? Pourquoi n'existerait-il pas également, sur la planète, des « animaux » non répertoriés, classifiés et étiquetés ?

Il s'était donc joint à l'Expédition Ultima. Il avait renoué des liens avec le froid impitoyable (l'enfer est fait de glace et de vent, non de feu et de soufre !). Avec les crevasses, la gueule grande ouverte sous un mince voile de neige. Et avec les avalanches...

L'avalanche !

L'horreur remonte brusquement à la surface de sa mémoire engourdie. La nuit qui l'entoure se fait soudain plus épaisse. L'étau qui emprisonne son corps et ses membres se resserre. Et, tandis qu'il se souvient, un gémissement monte à ses lèvres.

* * *

Après avoir été assiégée pendant plus d'un mois, la montagne s'était finalement avouée vaincue. Martin et Nuong Penbat en avaient fait le sommet quatre jours plus tôt. Suivis, le lendemain, de Tom et de Jeff. L'équipe devait quitter définitivement les lieux ce matin.

Mais, avant le départ, Doug avait encore quelque chose à accomplir. Aux petites heures du matin, il s'était levé. Seul. Sans bruit. Il avait rendez-vous avec... un mythe. Le Yéti, l'abominable homme des neiges. Une empreinte, une silhouette: il ne demandait pas plus.

Le camp était calme quand Doug l'avait quitté, crampons aux pieds, piolet en main. Il faisait froid, comme toujours. Davantage, même. L'alpiniste se félicitait d'avoir recouvert son visage d'un masque de néoprène et d'avoir enfilé trois paires de gants.

Il marchait depuis trois quarts d'heure quand il avait remarqué à quel point le rythme de sa respiration, marqué par la buée qui s'échappait par ses lèvres et par son nez, s'était accéléré. De plus, un sentiment d'oppression étreignait son coeur à la manière d'un boa s'enroulant autour de sa proie. La fatigue et l'altitude, déjà? Non. Il était monté bien plus haut dans la montagne, il connaissait les signes de l'épuisement.

Pourtant, il ne rêvait pas. Quelque chose clochait. Il le sentait par tous les pores de sa peau. Il avait déjà ressenti cela...

La Nanda Devi !

L'avalanche !

Le mot l'avait brûlé à la tête, au coeur, aux tripes, une fraction de seconde avant qu'un craquement sourd ne se répercute entre les parois géantes.

Les yeux agrandis d'horreur, Doug avait vu apparaître la lézarde noire, tout en haut de la pente de neige sur laquelle il venait de s'engager. Un immense couteau invisible venait d'amputer la montagne d'un de ses flancs, qui avait alors fondu sur l'alpiniste.

Tonnes de neige, de glace. De mort, parfois. Souvent.

* * *

– Mais tu ne m'as pas encore eu, saloperie ! murmure-t-il en reprenant complètement ses esprits.

Surtout, rester calme. Reprendre conscience de ce corps et de ces membres qu'il sent sans les voir. Légers, les mouvements. Probablement imperceptibles. Mais demandant de tels efforts que Doug sent la sueur perler sous son masque. Jambes, bras, doigts. Tout est testé, tour à tour. Et tout répond. Lentement. Comme après une longue période d'immobilité. À moins que cet engourdissement ne soit dû au froid et au manque d'oxygène.

Panique.

«Depuis combien de temps suis-je inconscient? Que font les autres, bon sang!? Ils devraient être là...»

En attendant leur arrivée, ne pas s'énerver. Penser à l'oxygène, déjà plus rare. Creuser vers la lumière, vers l'air libre.

Instinctivement, il pousse la neige de sa main droite, celle qui est coincée au-dessus de sa tête. Rien ne bouge. Il voudrait ne pas savoir pourquoi. Garder ainsi un peu d'espoir. Mais il sait.

Il sait que l'avalanche l'a balayé, roulé et traîné, avant de l'enterrer vivant. Mais la montagne, quand elle devient cimetière, n'est que désordre et anarchie. Ses morts ne sont pas sagement allongés sur le dos.

«Par où creuser? Vers le haut?»

Ça ne donne rien. Sinon que l'effort le fait transpirer et la peur, gémir.

«Vers la droite, plutôt. Il me semble... la lumière...»

Ce n'est pas ça, non plus. Sa respiration s'accélère, au même rythme que son oxygène se raréfie. Et que sa terreur augmente.

« Par là... Je sens... de l'air... »

Mais non. Non et encore NON ! !

Tout s'efface alors, dans la tête de Doug. Tout, à part l'horreur.

Se débattre. Coûte que coûte ! Tenter n'importe quoi !

De ses mains gantées, l'alpiniste cogne l'ennemi. À coup de bottes et de crampons, il pousse, déchire le ventre de neige qui l'a avalé. Ses mouvements, au départ à peine perceptibles, gagnent en ampleur. Un peu.

Cogne. Pousse. Déchire.

Hurle. Pleure.

Étouffe.

Le noir. L'inconscience. La m...

– NOOOOOOON ! ! ! crie Doug, dans un ultime sursaut.

Bras et jambes se détendent en un éclair foudroyant.

Et, vaincu, le tombeau blanc cède. D'un seul coup.

Les yeux de l'alpiniste sont meurtris par la lumière soudaine. Ses poumons ont une telle soif d'oxygène que sa poitrine se soulève à un rythme effréné. Et, plus tard, lorsque la peur s'est éloignée, son cri de joie, de vie, résonne longtemps dans les montagnes.

Vacillant, l'homme tente alors de se redresser. Ses jambes répondent peu, et mal.

« Calme-toi, vieux. Les autres vont venir. Attends-les. »

Et il attend. Longtemps.

Pour rien. Les autres ne viennent pas.

Soudain, un frisson le traverse. Éclair de lucidité. L'avalanche aurait-elle par hasard atteint le camp ? Alors...

– Quel idiot je fais ! Chris, Jeff... Ce sont peut-être eux qui ont besoin de moi, peste Doug en amorçant la descente.

Seul. Comme lorsqu'il est monté. Mais sans piolet. Et avec combien d'énergie en moins.

– Pourvu qu'il ne leur soit rien arrivé...

Il lui faut deux heures, estime-t-il, pour parcourir ce qu'un peu plus tôt il a grimpé en quarante-cinq minutes.

– Pourvu... pourvu... pourvu... scande-t-il à chaque pas.

La réponse l'attend là, au détour du glacier. Il accélère. Impatient. Inquiet, aussi.

Plus que dix mètres. Cinq. Trois...

Doug s'attend à tout. Le camp dévasté par l'avalanche, dans lequel les survivants s'activent à rechercher les disparus. Ou même... les copains encore endormis sous les tentes, inconscients du danger auquel ils viennent d'échapper.

À tout, sauf à ce silence.

Et à ce vide.

Il ne reste rien de l'Expédition Ultima.

Rien ni personne, au pied de l'Everest. À part un homme soudain devenu loup.

– Salauds ! hurle Doug. J'étais en train de crever et vous êtes partis ! Pourritures ! Saletés !

Secoué par des sanglots de rage et de désespoir, il s'abat sur un monticule rocheux. Ses poings puissants s'abattent sur la pierre. Deux fois, trois fois, dix fois. Vingt fois.

Puis, épuisé, il sombre dans l'inconscience.

Combien de temps ? Il l'ignore. Ses paupières, lourdes, se soulèvent. Ses yeux fixent le vide. Jusqu'à ce qu'un bruit le fasse tressaillir. D'instinct, il plonge derrière le tertre de pierre. Pour découvrir une inscription, gravée sur le rocher dressé au-dessus de tous les autres.

Doug Boardman
1970-1995

– Qu'est-ce que c'est que cette farce, murmure-t-il en lisant l'épitaphe.

SON épitaphe. SON nom. L'année de sa naissance, suivie de celle de...

Impossible! À cheval entre une réalité sur laquelle il semble ne plus avoir vraiment prise et un cauchemar duquel il ne parvient pas à sortir, Doug sent la folie le gagner.

Une folie grandissante.

Une folie tentaculaire... qui vient, à l'instant, de prendre un autre visage. Partiellement dissimulé par le monticule rocheux, l'alpiniste vient en effet de LE voir marcher dans sa direction.

Paisible. Souriant? Ça, il ne peut le dire.

C'est la première fois qu'il voit un Yéti.

DES Yétis, plutôt. Ils sont une quinzaine.

Et ils s'approchent. De lui. Dont les pieds sont devenus racines.

Ils s'avancent.

Ils sont là.

– Doug...

La voix de la créature est rauque. Elle manque de poli. Mais n'est pas dénuée de douceur. Et, s'il n'était pas ainsi pétrifié, l'alpiniste sourirait. Le Yéti n'a-t-il pas «prononcé» son nom?

Ridicule.

– Doug, répète la créature.

C'est bien ce qu'elle a dit. Doug.

– Nous t'attendions, poursuit-elle. Ça fait un an aujourd'hui...

– Un an que quoi ? parvient à dire l'alpiniste.

Sa voix n'est que filet. Il parle contre son gré. Parler à un mirage, n'est-ce pas y croire ?

Folie...

La créature, entièrement couverte d'un pelage noir aux reflets bleutés, ne répond pas. Elle s'approche encore davantage. Et, avec des gestes d'une douceur infinie, elle retire le masque de Doug. Puis ses gants. Elle prend ensuite les deux mains de l'alpiniste dans les siennes. Les élève à hauteur des yeux de l'homme.

Horreur !

Avec violence, Doug se libère.

Examine ses mains, devenues des pattes puissantes, couvertes d'une fourrure rousse et fournie.

Rousse et fournie. Comme le sont sa chevelure et sa barbe.

Éclair de lucidité.

Lentement, il touche son visage. Découvre sous ses doigts des contours qu'il ne connaît pas. Un nez aplati. Un front bas. Une bouche sans lèvres.

Et, partout, cette toison.

– Un an que l'avalanche m'a... tué ? demande-t-il.

Mais ce n'est pas vraiment une question. Il a compris. Il a passé un an dans une tombe de neige. Un « oeuf », plutôt. Qui vient d'éclore.

Ne surnomme-t-on pas les alpinistes « abominables hommes des neiges » ? Ils le sont.

Vraiment.

En tout cas, ceux qui meurent en montagne.

Léa, Léa, Léa

MICHEL NOËL

Chère Rosalie,

Mon grand-père me fit cadeau,
un printemps, d'un tout petit canot
en écorce de bouleau
qu'il avait fabriqué de ses mains.

Comme le lui avait appris son père.

Je m'amusais à lancer mon canot
dans les flots du ruisseau
qui se jetait dans la rivière qui, elle,
allait, me disait-on,
tout doucement mourir dans la mer.

Je me disais que c'était une bien belle
mort et que, si je mourais un jour,
je voudrais que ce soit
comme une goutte d'eau.

Mon embarcation légère et fragile
  s'accrochait aux branches,
s'échouait sur les battures,
  chavirait dans les rapides,
filait à toute allure, tournait en rond
  dans les remous.

Je m'imaginais mes ancêtres
intrépides, à la fonte des neiges,
revenant de leur lointain territoire
de chasse, leur canot chargé à ras
bord de précieux ballots de fourrures,
de gros morceaux de truites fumées,
de chair fraîche d'orignal, d'outarde,
de castor.

Les enfants et les chiens serrés
les uns contre les autres, immobilisés
entre la tente, la batterie de cuisine,
les sacs de toile remplis de nourriture,
bourrés de vêtements de peaux.

L'homme
  grand, vigilant,
  debout à la poupe
  au gouvernail,

La femme
  agenouillée à la proue,
  les yeux rivés sur les tourbillons,
  signalant par des gestes
  brefs et précis,
  de la main gauche,
  de la main droite,
  le chemin à suivre.

Il y a bien longtemps de cela.
Pourtant, je m'en souviens
comme si c'était de ce matin.

Petite Rosalie, je suis un homme
habité par les événements,
les émotions, les odeurs, les sons,
les images.

Quand on me voit aujourd'hui,
rabougri, raviné, blanchi,

Quand on m'entend raconter un
coucher de soleil sur la baie James,

Un feu de forêt en Abitibi, un voyage
à travers la toundra du Nunavik,

On me demande:
«Mais dites-nous,
Quel âge avez-vous?»

Je prends alors mon temps,
Je savoure chaque instant,
Je plisse le front,
Je fronce les sourcils,
Je réponds:
«Je dois avoir cent ans.»

Je le dis comme si de rien n'était.
J'en sais trop rien!

Je suis de cette terre de tous les
temps: je croîs.

Et j'ai appris qu'un instant vécu
pleinement vaut l'éternité.

Tu sais, plus on approche de sa fin,
  plus on a de temps pour vivre.
C'est ainsi: plus on a vécu,
  plus on a de temps pour soi.

Quand on est enfant, on croit que les grands-parents ont toujours été vieux. Je te dis tout de suite, Rosalie, que je n'aime pas le sens que l'on donne au mot vieux, surtout lorsqu'on parle des personnes.

Je l'écris ici pour mieux te l'expliquer. Je sais, moi, que dans la vie, on ne vieillit pas... surtout pas comme une paire de mocassins qui s'use.

Non!

On croît sans cesse dans son corps et
dans son coeur. Toute la vie.

Les gens disent:
«Comment vont les petits?»
Et un peu plus tard:
«Mais comme ils ont grandi!»
Il est vrai qu'un jour, comme par hasard, on cesse de grandir pour vieillir. Mais on continue de croître.

C'est cela devenir grand.

Plus un être est grand,
plus il comprend la vie,
plus il est généreux,
et surtout, plus il est amoureux.

Autre chose:
Un enfant, lorsqu'il voit le jour,
est amoureux lui aussi.

Je t'écris, assis près du ruisseau,
Tu sais, là où il fait une courbe en fer
à cheval devant la maison,
sur le gros tronc de merisier mort
qui, de saison en saison, disparaît
dans l'humus humide.

J'aime ce lieu.

J'ai été attiré ce matin au lever du soleil par un rayon qui trouait de sa lumière jaune les feuillages verts du bosquet, et miroitait dans l'eau vive. J'ai été surpris par l'odeur âcre des fougères dentelées ployées sous la rosée.

Il a plu dans la nuit.
Des filets d'eau suintent
des bords spongieux.
Des gouttelettes de lumière
bondissent sur les galets lisses,
en petites cascades claires et sonores.

Je me dis:
« L'eau, ce matin, rigole. »
Elle a bien raison !

Une bruine de mousseline
dans les brumes de l'aube,

L'arôme rond
de grosses framboises
rouges, mûres,
en bordure du sentier,

Une volée d'oies
blanches au crépuscule,
le cou tiré dans l'air glacé,

quand je m'y attends le moins,

me transportent sur-le-champ,
parfois dans mes souvenirs,
parfois dans l'avenir.
Loin.

Je navigue dans mon coeur.

Je comprends alors
  le véritable sens des choses.
Je prends le temps d'écouter,
  de sentir, de toucher, de regarder,
  de goûter.
Et vient le plaisir d'un autre sens que
l'on découvre: celui de l'intuition.
L'intuition de la vie, de la mort.

Grand-maman s'appelait Léa.

Un nom si doux. Doux comme le froufrou du vent dans les feuillages tendres et souples d'une forêt de bouleaux.

Léa me racontait:
Un jour, un artiste créa la Terre et nous l'offrit pour mère. Il prit une poignée de glaise et, dans le creuset de ses mains, il modela amoureusement les humains.

Le Créateur regarda son oeuvre.

Il créa alors les arbres et, pour les embellir, il ajouta des taches de couleur: vert, jaune, orange, à petits coups de pinceau.

Pour que la vie des humains ne soit pas monotone, il souffla sur son oeuvre.

Souffle sacré.

Les couleurs se mirent à
danser,
la tête des feuillus à se
balancer,
les corps à s'arquer,
les herbes à saluer.

Le Créateur venait de créer la vie,
le mouvement, la musique !

Et le vent se mit à jouer de la flûte et
du tambour dans les feuillages et
les montagnes.

Quand je vois un arbre, des nuages, un ruisseau, un éclat de lumière dans une goutte d'eau,

je me dis:
  « que c'est beau ! »
J'ajoute, pour le nuage:
  « Salut, nuage,
  tu m'as l'air bien sage
  là-haut ! »

Et à ceux qui m'écoutent je dis:
  « Regardez comme il est beau. »

Léa, Léa, Léa, c'est beau !

J'aime le mot *beau*, un mot simple, pur, devenu au fil des ans synonyme, pour moi, d'amour.

Les gens qu'on aime sont beaux!

Ma satisfaction la plus profonde, chère Rosalie, maintenant que je suis grand (certains diront un vieillard), c'est que je connais le *beau*.

Le *beau* qui me nourrit, le *beau* qui fait ma joie de vivre.

Mais qu'il s'est fait attendre!
Combien je l'ai cherché avant
qu'il ne se révèle!

Léa me faisait penser à une fleur.

Sa maison débordait d'odeurs de fraise, d'herbes séchées, de tomate verte. Elles imprégnaient ses mains, son tablier, ses longs cheveux argentés.

Je l'ai toujours beaucoup aimée. Aujourd'hui encore plus qu'hier, car j'ai vécu plus longtemps qu'elle. Je veux te dire par là que, plus on vit longtemps, plus l'amour qu'on cultive en nous est grand. C'est là le plaisir de grandir.

Grand-maman m'a fait découvrir cette belle façon de vivre, de laisser s'enraciner et pousser son amour comme une épinette dans la forêt.

Bon !
Revenons à Léa, ton arrière-arrière-grand-mère, qui était petite, potelée. Elle avait le teint basané, les pommettes saillantes, les yeux noirs moqueurs, enchâssés dans des écrins en amande.

Elle avait aussi, pour me faire rire, une expression qu'elle ne lançait que dans les grandes occasions:
« Vieille sacoche de vieille sacoche ! »

J'habitais au coeur d'une immense forêt, avec ma famille. Grand-maman, au village, dans une petite maison que grand-papa avait construite près d'un jardin qu'elle cultivait.

Chaque visite était une grande fête. Elle émergeait de son champ de blé d'Inde, ou bien sortait en courant du poulailler ou de la petite grange, enjambait les rangs d'oignons, sautait les plants de pommes de terre...

Je me jetais dans son tablier, tête première.

Grand-maman savait que j'aimais la pêche. Un jour, pour me faire plaisir, elle m'y invite. Dans ma tête, il fallait aller loin, loin.

Il fallait:
passer par le jardin,
ramper sous la clôture,
grimper sur le remblai,
regarder à gauche,
regarder à droite,
sauter la voie ferrée,
traverser le champ de vaches en évitant les bouses,
et garder le taureau à l'oeil jusqu'à l'orée du bois.

Là, dans la pénombre humide, serpentait un majestueux ruisseau, mystérieux et solitaire. Je retrouvais ici l'odeur d'encens, l'impressionnante solennité d'une grande cathédrale.

Grand-maman m'avait expliqué sa technique:

« Les truites, m'avait-elle dit, ont l'ouïe fine, le coup de queue nerveux. Il faut prendre mille et une précautions: s'approcher à pas de loup, face au soleil, tendre sa perche souple, laisser descendre l'hameçon sous une vieille souche, au pied d'une chute..., retenir son souffle et, au premier chatouillement, ferrer d'un coup sec. »

Une fois sur les lieux, elle met sans perdre de temps ses enseignements en pratique.

Elle appâte d'un gros vers
tiré de son jardin,
progresse telle une tigresse
sur la pointe des pieds,
repère un trou sombre, allonge sa perche souple,
approche encore un peu, pince les lèvres,
se concentre, s'étire, tend le cou,
monte sur un billot vermoulu qui unit les deux rives.

Je la talonne, fasciné, pour ne rien manquer.

Nous avançons tous les deux, les nerfs à fleur de peau. Je vois des araignées patiner sur l'eau...

Tout à coup, clac! Elle ferre.

Oups !

Le billot plie sous nos pieds. Grand-mère bat désespérément des bras, tel un huard qui tente de prendre son vol. Ses pieds glissent.
Seigneur !
Malheur !
Grand-maman tombe à la renverse au milieu du bassin, les fesses à plat dans l'eau.
La petite truite, projetée dans les airs, virevolte dans les feuillages, queue par-dessus tête, plonge dans l'eau, se sauve vers d'autres cieux.

Le chapeau de paille de Léa flotte à la dérive, tournoie comme un radeau sans gouvernail. J'ai tout juste le temps de me réfugier sur la terre ferme qui s'arrête de tourner, et les oiseaux de chanter, et mon coeur de battre...

Lourd silence.

Alors nos regards angoissés se sont croisés... et nous avons craqué.

«Vieille sacoche de vieille sacoche!» a lancé Léa en accrochant son chapeau mouillé.
Je me suis retrouvé dans ses bras, et nous avons ri aux éclats, aux larmes.

Ce jour-là, Rosalie mon amie, j'ai eu le coup de foudre pour la vie.

Moukoushum
Ton grand-père

Un parfum de poivre et de résine

CHRISTIANE DUCHESNE

29 octobre

Il me faudra sans doute la journée entière pour écrire ce qui vient d'arriver. Je n'ose pas en parler. J'aurais peur qu'on ne me regarde plus jamais de la même façon. On invoque rapidement la folie lorsqu'on écoute une histoire impossible même si elle est vraie. On me croirait donc folle.

C'était la nuit dernière. Je n'ai pas fermé l'oeil depuis. J'écris sans arrêter et, quand j'aurai terminé, je glisserai ma lettre dans une bouteille en espérant qu'elle suive mystérieusement un sillage précis. Car j'écris à quelqu'un.

«Pour vous, j'essaie de mettre en mots ce qui s'est passé depuis hier soir. Vous ne

savez rien de moi, je ne vous ai presque pas parlé.

Jamais je n'aurais cru qu'une promenade puisse avoir de telles conséquences. Je n'ai pas eu le temps de vous expliquer pourquoi j'étais là. Je n'ai tout simplement pas pu vous parler. Je prends maintenant le temps de le faire.

Vous savez, il y a des soirs où rien ne peut empêcher quelqu'un de sortir, même dans les pires conditions. Hier soir, le vent sentait le danger. N'importe qui serait resté enfermé bien au chaud, mais j'ai eu envie de sentir de près cette caresse violente. Le vent me coupait le souffle, mais j'ai tout de même marché jusqu'au sable, au-delà des herbes hautes.

La maison ne donne pas directement sur la plage. Il faut passer une dune couverte d'ammophiles et marcher trois ou quatre minutes avant d'arriver aux limites du sable. De toute façon, je n'allais pas très loin et en me retournant, je pouvais toujours voir la maison, éclairée, rassurante.

J'avais envie de sentir le vent comme on a besoin de passion.

C'est l'odeur, étrange parfum de résine et de poivre, qui m'a fait avancer, curieuse, vers la mer déchaînée.

Il y a des années, j'avais senti ce même parfum à Paris, un jour de printemps chaud. Les cerisiers étaient en fleurs depuis des jours. Je marchais derrière l'odeur, suivant à travers la foule les moindres effluves qui disparaissaient, réapparaissaient tout à coup et se défaisaient. Les odeurs s'effilochent, comme les rubans d'un chapeau qu'on porte trop longtemps ou comme les drapeaux des bateaux. Avez-vous déjà suivi une odeur sans savoir à qui elle appartient? J'ai marché des heures sans jamais trouver le propriétaire du parfum. La résine et le poivre se sont dissipés sur un coin de la rue de Rennes et je ne les ai jamais retrouvés.

J'avais été envoûtée par l'odeur d'un inconnu car, j'en suis sûre, c'était l'odeur d'un homme. J'ai humé les flacons de toutes les parfumeries sans jamais retrouver exactement l'effet. Même encore, il y a quelques semaines, j'en ai vérifié quelques nouveaux. Ni suffisamment résinés, ni assez poivrés, trop sucrés, trop musqués. Aucun autre parfum n'a su me faire dire, comme à l'époque, que si je rencontrais un jour l'homme qui porte sur sa peau cette odeur, je ne le laisserais plus.

Vous comprenez alors pourquoi, même s'il était passé minuit, j'ai marché sans même relever ma jupe dans les vagues féroces, dans une eau tellement glacée que j'aurais dû en sortir en courant.»

Pourquoi croirais-je qu'il recevra cette lettre? Est-ce que je ne suis pas en train de devenir complètement folle? Pourquoi, en jetant cette lettre à la mer, dans une bouteille bien scellée comme il se doit, devrais-je penser qu'il la retrouvera? Il n'y a pourtant pas d'autre moyen. Il n'y a vraiment pas d'autres moyens.

«Le parfum montait d'entre les vagues, comme si à chaque fracture de l'eau, à chaque retournement de ces masses liquides sur elles-mêmes, l'odeur venait vers moi. Les parfums d'océan n'ont rien à voir avec la résine, ni avec le poivre. Ils ont la couleur des algues, ils cachent des silhouettes de poissons, d'hippocampes et d'oursins. Les parfums d'océan sont enrobés de sel.

Je ne sentais plus la piqûre de l'eau ni la violence des vagues qui aurait pourtant dû me faire reculer, trébucher, m'effondrer dans l'eau noire. J'ai marché vers vous sans vous voir.»

S'il ne la recevait jamais, cette lettre à la mer, le souvenir resterait tout de même. Il restera toujours. Je lui écrirai peut-être encore?

« Vous nagiez vers moi et je marchais vers vous, mais vous, vous m'aviez vue. Sinon, pourquoi auriez-vous eu ce sourire? Je vous ai vu émerger de l'eau, vous accrocher fortement au deuxième des blocs de pierre qui affleurent au sud. Vous vous êtes assis pour reprendre votre souffle, du moins c'est ce que j'ai cru. Le voyage ne vous avait aucunement épuisé. Un peu de fatigue dans votre regard, à peine, et votre sourire. C'est à ce moment-là que j'ai su que le parfum était le vôtre. »

C'est là qu'il m'a dit:

– Vous allez prendre froid...

– C'est curieux, je n'ai pas froid.

– Et pourtant, la mer à l'automne... murmura-t-il.

– La mer à l'automne est glaciale, mais je n'ai pas froid. Je vous jure que je n'ai pas froid.

– Vous devriez rentrer... insista-t-il, très doucement.

J'ai eu l'impression que sa voix fondait dans mon oreille. Comment me suis-je retrouvée avec lui sur le sable noir? Je ne me rappelle absolument pas. Il y a des moments d'une telle intensité qu'on a beau vouloir les retracer, en retrouver la chronologie, les recomposer, refaire leur logique, on n'y arrive jamais. Il m'a portée sur la plage, je le sais. Dans l'eau, au-dessus de l'eau, en nageant? L'odeur m'avait hypnotisée.

« *Ce que vous m'avez raconté, je ne l'oublierai pas. Votre voix m'imprégnait autant que votre odeur. Vous auriez pu me dire n'importe quoi. Je vous ai laissé me raconter la mer, vos chevauchées folles à travers les océans, votre accident sur les récifs australiens, les raz-de-marée aussi bien que les pluies douces des jours d'été, quand il est impossible de faire voler les cerfs-volants, lorsqu'il n'y a vraiment rien d'autre à faire que de laisser la pluie se mêler aux brumes salées. J'ai pris plaisir à vous entendre décrire des poissons dont je ne soupçonnais même pas l'existence. Vous m'avez parlé des dauphins comme on parle d'amis très chers. Vous m'avez fait rire lorsque vous m'avez expliqué que les poissons de mer boivent beaucoup alors que les animaux d'eau douce ne boivent pas.*

Vous parliez des massifs d'éponges et des anémones de mer. En fait, vous décriviez la mer de l'intérieur. Vous décriviez la mer de l'intérieur et j'étais fascinée, car vous me parliez d'un monde que je connais à peine. J'aime qu'on me raconte et qu'on me raconte tout. J'écoutais sans comprendre, pour le plaisir de vous écouter, en me disant que j'allais m'endormir entre vos bras. Je n'avais plus de résistance.

– Vous devriez rentrer, avez-vous répété d'une voix un peu rugueuse, infiniment triste tout à coup. Vous devriez rentrer sinon, vous ne pourrez jamais plus le faire.

J'ai ouvert les yeux, difficilement. Je sentais bien qu'il fallait me lever, me défaire de vos bras, essayer de comprendre ce qui troublait à ce point votre voix. Je n'ai pas pu. J'ai laissé ma tête glisser dans votre cou et prendre appui sur votre épaule.

Il devait être cinq heures quand les premières lueurs du matin ont effacé la nuit. J'ai ouvert les yeux et je les ai refermés aussitôt: vous dormiez aussi. Le vent était tombé, la marée allait bientôt descendre. J'ai admiré entre mes cils le dessin de vos lèvres et la ligne de vos sourcils, tout près. Je filtrais votre image.»

Vous est-il déjà arrivé de voir quelque chose de tellement troublant que votre coeur s'arrête un moment sans que vous puissiez prévoir qu'il va se remettre à battre? On dirait la fin de tout, et cette fin semble vouloir durer. Une fin sans fin. Quelque chose d'étrangement horrible, insupportable. On a envie de hurler pendant des heures et pas un son n'arrive à passer la barrière de vos lèvres. Votre gorge se serre interminablement, il ne vous reste plus qu'un souffle d'air et vous sentez vos yeux s'agrandir parce qu'ils ne veulent pas croire à ce qu'ils voient.

«J'avais les yeux à peine entrouverts et je prenais plaisir à vous examiner de très près, à vous admirer dans une sorte de flou immensément tendre. J'ai passé lentement ma main le long de votre dos et vous avez souri. Tout à coup, j'ai senti vos écailles. J'ai retiré ma main sans pouvoir crier et vous avez ouvert les yeux. Je n'oublierai jamais votre regard, même si vous avez tout de suite disparu entre les vagues. J'ai eu le temps de vous voir disparaître. Je n'ai jamais vu dans un regard autant de tendresse. C'était le plus beau, mais aussi le plus triste du monde.

Je n'ai jamais cru aux sirènes, encore moins aux tritons. Mais il m'est revenu, dans l'état d'hébétude extrême où je me trouvais dans les premières lumières du jour, ce que j'avais appris par coeur à l'école.»

Triton. Ce dieu fut adoré par les marins et reçut ensuite un culte et une légende. Il avait pour demeure la mer tout entière, car il y était né de l'union de la Néréide Amphitrite et du dieu de toutes les eaux des océans, Poséidon...

«J'ai voulu que vous sachiez. Je ne sais pas si la bouteille bleue dans laquelle j'enfermerai bientôt cette lettre saura vous rejoindre un jour. Tout ce que je veux vous dire, c'est que, jamais de ma vie, je n'ai eu à ce point le désir de suivre quelqu'un jusqu'au bout du monde. Jamais. Êtes-vous un triton, êtes-vous le dieu Triton lui-même? J'ose croire que vos pouvoirs mythiques sont aussi réels que vous l'étiez cette nuit. Lorsque vous lirez cette lettre, si vous la recevez, dites-vous que je vous espère chaque jour et que pour vous, je troquerais ma vie terrestre contre une vie sous-marine. Une vie avec vous contre n'importe quoi. Je vous signale avec un sourire que j'ai toujours eu une affection particulière pour le bleu, pour les lumières qui savent

pénétrer les eaux claires, pour l'élégance des algues et pour l'ensemble de la faune aquatique. Je vous attends. Marie»

Le brouillard tombe, il va pleuvoir. L'éclaircie aura duré le temps d'écrire cette lettre impossible.

* * *

Le 24 décembre, la soeur de Marie, inquiète de n'avoir aucune nouvelle depuis des jours, s'est rendue dans la grande maison du bord de la mer. Tout y était impeccable. Sur le dessus du piano à queue, un papier craquant de sel sur lequel on pouvait lire d'une grande écriture un peu ancienne :

« Venez me rejoindre sur la plage, à l'endroit exact où je vous ai déposée sur le sable, le 21 décembre à trois heures. La marée sera bonne, mais elle n'attend pas. »

À côté du papier, une toute petite bouteille, bleue, et brisée.

Cendrillon, après minuit

MICHÈLE MARINEAU

Quand Laurence rentra chez elle ce matin-là, la première chose qu'elle vit, en mettant les pieds dans la cuisine, ce fut la tour instable formée par un amoncellement bizarre d'objets au milieu de la table. D'abord le grille-pain, puis la planche à découper sur laquelle quelques boîtes de conserve judicieusement disposées soutenaient un sous-plat, lui-même surmonté d'une bouteille de sirop de maïs particulièrement poussiéreuse.

Karine se serait-elle mise à la sculpture moderne? se demanda Laurence, qui ne s'étonnait plus des lubies de sa colocataire.

C'est en examinant la prétendue sculpture qu'elle découvrit la lettre.

« Attention ! » disait l'enveloppe. Ou plutôt :

ATTENTION!!!!

Laurence examina l'enveloppe sous toutes ses coutures puis, la jugeant inoffensive, elle l'ouvrit d'un coup sec. Des feuillets couverts d'encre violette s'en échappèrent.

* * *

Ça a commencé par un grattement, avait écrit Karine de son écriture nerveuse. Ou plutôt non, ce petit bout d'horreur s'inscrit dans l'histoire plus vaste de ma vie — dont je t'épargnerai les méandres et les tourments — et de cette longue, très longue nuit.

Je ne t'apprendrai rien en te disant que cette nuit, c'est Noël. Friandises, cadeaux, réjouissances, *Il est né le divin enfant*, *Minuit chrétiens*, et toutes ces sortes de choses.

Sache que, pour moi, cette nuit a plutôt des allures de vendredi 13 ou d'Halloween (version film d'horreur). Survivrai-je à tant d'angoisses? Regarde autour de toi. Aperçois-tu mon cadavre, recroquevillé dans un coin? Mes os desséchés et fragiles? Peut-être suis-je en train de hurler sur le balcon, terrassée par une démence précoce? Regarde bien. Tends l'oreille. Suis-je encore là? Dans quel état?

La dernière fois que nous nous sommes vues — il y a bien cinq heures de cela —, nous nous apprêtions toutes deux à aller réveillonner. Toi chez le beau, le tendre, le merveilleux Tristan. Moi chez l'affreux, l'infâme, le fourbe Julien. Évidemment, à ce moment-là je ne connaissais pas encore l'incommensurable vilenie de celui que je prenais pour mon amoureux. En fait, au risque d'avoir l'air ridiculement sentimentale, je me sentais une âme de Cendrillon occupée à se faire belle pour retrouver son prince charmant.

Froufrous, satin, trait noir ici, parfum là, je me croyais irrésistible. Ce qu'on peut se tromper, parfois.

Il neigeait quand nous sommes parties pour nos réveillons respectifs. De gros flocons paresseux, très lents, très doux. Une vraie nuit de Noël. Aucune citrouille recyclée en carrosse ne m'attendait pour me conduire chez mon prince, aussi ai-je décidé de marcher jusque chez Julien. J'aurais mieux fait de marcher toute la nuit et d'oublier Julien, mais ça, bien sûr, c'est plus facile à dire après qu'avant.

J'ai sonné. Julien est venu ouvrir. J'aimerais prétendre que, tout de suite, j'ai senti que quelque chose n'allait pas, mais non, je n'ai rien senti du tout, à part l'odeur de la dinde, qui avait un peu carbonisé.

Julien a lâchement attendu que j'aie la bouche pleine de dinde brûlée, de canneberges et de farce aux petits légumes pour m'assener le coup fatal.

« En cette nuit sacrée entre toutes, il serait immoral de vivre dans le mensonge. Voyons donc la vérité en face : ce qui nous lie, toi et moi, ce n'est plus l'amour, c'est l'habitude. Quittons-nous maintenant, pendant que nous pouvons encore nous supporter. »

Maintenant. Ça voulait dire quoi, maintenant ? Maintenant maintenant, mon assiette à peine entamée ? Ou maintenant après le repas, le lendemain, dans les semaines qui suivaient ? Julien se vante toujours d'être clair et précis, mais là, je trouvais que les détails manquaient singulièrement de précision. Par contre, l'idée générale était assez claire, merci.

J'ai dégluti comme j'ai pu et, miracle!, j'ai réussi à avaler ma bouchée. Décidément, cette dinde avait un goût qui ne me revenait pas.

Je me suis levée et je suis partie. Comme ça, sans même lui donner son cadeau de Noël.

Je t'épargne les détails du retour à la maison. Pas nécessairement parce que c'est trop triste, plutôt parce que tu connais le trajet par coeur. Inutile, donc, de te parler de l'intersection Mont-Royal/Saint-Denis ou de la vitrine déprimante de tu sais qui.

Je suis donc rentrée ici, dans notre cinq et demi modeste mais coquet. J'ai enlevé (arraché!) fanfreluches et falbalas. Je me suis lavé le visage à grande eau. À ce moment-là, logiquement, j'aurais dû aller me coucher. Mais peut-on être logique, la nuit de Noël, quand notre prince charmant vient de nous signifier notre congé? Non, n'est-ce pas? (Ne t'avise pas de penser ou de dire autrement.) Alors, sans grande logique mais avec un appétit aussi énorme que subit, j'ai décidé de me faire à manger.

Tu connais comme moi mes talents (ou plutôt mon absence de talents) de cuisinière. Je ne me suis donc pas lancée dans des recettes longues et compliquées mais dans quelque chose que je connais bien : des rôties. Même pas besoin de réfléchir. Tout se fait automatiquement. Prendre deux tranches de pain au frigo. Les insérer dans les fentes du grille-pain. Abaisser la manette. Puis, pendant que le pain grille, sortir tout ce qu'on aura envie d'étaler dessus. Margarine, beurre d'arachide, confiture d'abricots, fromage... Rien de compliqué, rien de sorcier, rien d'inhabituel.

Rien d'inhabituel ? Pas cette nuit, malheureusement. À peine avais-je abaissé la manette que les grattements ont commencé. De tout petits grattements, bientôt accompagnés d'une vague odeur de brûlé et de petits couinements de terreur.

Je ne suis pas toujours d'une vivacité d'esprit exemplaire, mais là, crois-moi, j'ai tout de suite compris ce qui se passait.

Une souris! Il y avait une souris dans le grille-pain! Et moi, j'étais tranquillement en train de la faire griller...

Comment décrire ma réaction à ce moment? Je me sentais glacée, figée, et en même temps terriblement attentive aux sons et aux odeurs de plus en plus prenantes qui montaient du grille-pain. Je n'ai pas pris le temps de réfléchir. J'ai débranché le grille-pain en vitesse, j'ai déposé la planche à découper dessus et je me suis assurée que rien — et surtout pas une souris — ne pourrait la déloger. Vive les conserves et le sirop de maïs!

Tu te demandes peut-être, chère Laurence, pourquoi je n'ai pas simplement libéré cette pauvre bête de sa prison électroménagère. La réponse est simple: j'en étais incapable. Autant il est des moments où je me sens courageuse, intrépide même, autant il en est d'autres où je suis la trouillarde la plus trouillarde en ville. Autrement dit, l'idée d'apercevoir cette bestiole m'était tout à fait insupportable. Je n'ose imaginer ma réaction à la vue de ses petites pattes, ou de sa queue, ou de son petit museau fureteur...

J'ai donc préféré la retenir prisonnière, au risque de me voir infliger les pires amendes ou vingt ans de prison pour cruauté envers les animaux. Libre à toi d'avertir la SPCA et de me faire arrêter. Je te rappelle seulement que le loyer s'élève à cinq cents dollars par mois et que tu es incapable de payer ça toute seule. Et songe à toutes les mauvaises expériences que tu as pu vivre avec tes anciens colocataires. Celui qui se promenait tout nu dans l'appartement, sous prétexte que ça l'aidait à réfléchir sur sa thèse de doctorat portant sur l'homme primitif. Celle qui s'est enfermée dans sa chambre pendant deux semaines et qui n'en sortait même pas pour soulager ses besoins les plus primaires dans la salle de bains. Celle qui est partie avec ton système de son, tes livres de Kundera et ton chum (c'était avant Tristan, bien sûr). Celui qui faisait pousser des champignons dans la salle de bains, des betteraves dans le salon et du pot dans l'escalier. Celui... Mais, bon, je m'écarte du sujet.

Depuis plus de deux heures, je suis donc attablée en compagnie d'une souris vaguement grillée et passablement terrorisée qui se débat comme elle peut au fond de son grille-pain. Cliquetis dément des griffes minuscules. Couinements horribles et pathétiques. Drôle de réveillon, si tu veux mon avis. Et drôle de prince charmant. Quoique...

Petite pause, pendant laquelle j'ai débouché la bouteille de vin blanc qui traînait au fond du frigo. Santé, Laurence. Santé, souris. Ou plutôt non, pas vraiment santé. Tu ne pourrais pas cesser de bouger un moment? Tu dois commencer à être épuisée, ma cocotte. Et tu m'épuises le moral. S'il te plaît, calme-toi un peu. Repose-toi, le temps que je réfléchisse à ce que je vais faire avec toi. Je ne veux pas te tuer, tu le sais — ou plutôt non, tu ne le sais pas, mais je te l'apprends. J'espère que ça te rassure.

Où en étais-je? Au prince charmant, je crois. Alors voilà. Je t'annonce officiellement, ma chère Laurence, à trois heures quarante-huit de cette nuit de Noël de l'an de grâce mille neuf cent quelque chose, que Charles Perrault s'est trompé.

Oui, le célèbre auteur de la non moins célèbre *Cendrillon* a oublié de mentionner qu'après les douze coups de minuit, ce n'est pas seulement le carrosse qui est redevenu citrouille ; les laquais, grenouilles ou je ne sais quoi ; les chevaux, souris ou poissons rouges. Le prince, ma chère Laurence, le prince lui-même a repris sa forme initiale et est redevenu souris. Je le sais, elle est là, devant moi, enterrée sous son tas de conserves et de sirop de maïs, et elle est en train de me rendre folle à se démener comme ça dans sa prison de métal.

Ô Laurence, Laurence, aurais-tu imaginé, quand nous avons aperçu une de ces petites bestioles pour la première fois, que nous en viendrions à les torturer un jour ? Bon, je t'entends déjà protester. D'accord : que j'en viendrais, moi, à les torturer un jour.

C'est vrai qu'elle était mignonne, notre première souris. Tu te souviens, c'était un dimanche. Tu avais fait la grasse matinée pendant que j'essayais de terminer un travail de linguistique. Phonèmes, morphèmes... Je m'embêtais royalement jusqu'à ce que, tout à coup, j'aperçoive un mouvement dans un coin de la cuisine. Oh, un tout petit mouvement. En fait, je me demandais si je n'avais pas rêvé.

Mais, non, je n'avais pas rêvé. Le tout petit mouvement avait été causé par une toute petite bête. Depuis combien de temps était-elle née, notre première souris, à ton avis ? Quelques heures ? Quelques jours ? Je ne suis pas une experte, mais il n'était pas difficile de deviner que notre visiteuse n'était encore qu'un bébé. Question de taille, bien sûr (elle disparaissait entièrement derrière une patte de table, tu te souviens ?), mais aussi d'attitude. Elle n'avait pas encore appris à se méfier des humains et elle restait là, immobile, à nous observer de ses petits yeux brillants. Elle n'avait même pas l'air inquiète.

Une telle innocence, une telle confiance nous ont fendu le coeur. Ce n'est pas possible, nous disions-nous. Elle va se faire écrabouiller par la première patte de chat venue. Elle va se faire manger toute crue. Elle va... Prises de pitié pour la pauvre bestiole, nous avons décidé de lui apprendre la vie, et surtout la survie.

Alors, armées d'un sac de papier, nous avons tenté de la faire fuir, à grands coups de « pschttt-pschttt » et de « boum-boum ». Sans succès. L'approche psychologique n'a pas donné de meilleurs résultats. Tu te souviens de nos fous rires, pendant que nous essayions de « convaincre » notre souris de rentrer dans son trou ? « Allez, ma cocotte, disparais. Sinon, on va devoir te faire du mal. Tu ne veux pas qu'on te fasse du mal, dis ? Tu ne veux pas qu'on soit cruelles avec toi, n'est-ce pas ? Alors, sois gentille et rentre sagement chez toi. C'est ta mère qui doit s'inquiéter. Allez, ouste ! » Deux tendres folles, à genoux dans la cuisine, en train de supplier une souris de déguerpir...

Ce jour-là, nous avions fini par faire entrer la souris dans notre sac pour ensuite la déposer derrière le réfrigérateur d'où, supposions-nous, elle retrouverait facilement son chemin vers son trou.

Par la suite, nous avons revu notre souris... et plusieurs autres. Il faut dire qu'une souris reste rarement seule. Et chacun sait que ça se multiplie comme des lapins, ces petites bêtes. Nous avons donc pris l'habitude de croiser l'une ou l'autre de ces créatures le matin, au réveil, ou le soir avant de nous coucher. Plus rarement en plein jour, je ne sais pas pourquoi.

Nous avons tenté de leur donner des noms, mais, rapidement, nous avons dû admettre que nous avions un peu de mal à les différencier. Nous les avons donc toutes appelées Gontran.

Tu te souviens de l'air horrifié de certains de nos amis, quand ils ont découvert l'existence de nos Gontran? De leurs conseils et de leurs mises en garde? Ce n'est pas hygiénique, disaient-ils. Ça détériore le bâtiment. C'est une véritable plaie.

Nous, bien sûr, nous riions de leurs craintes. Nous les trouvions horriblement conventionnels. « Certaines personnes élèvent bien des chiens ou des chats, répondions-nous à ceux qui insistaient un peu trop pour nous faire la leçon. Pourquoi, nous, nous n'aurions pas des souris comme animaux de compagnie? Nous ne serions pas les premières. Cendrillon, par exemple... »

Cendrillon. Je reviens brutalement à mes moutons, ou plutôt à ma souris qui gémit toujours dans son grille-pain et à ma condition de Cendrillon abandonnée par son prince charmant. Le temps passe. Il y a déjà cinq heures trente que Julien m'a lâchement trahie, presque quatre heures que je festoie en compagnie d'un des Gontran — ou plutôt non, en compagnie d'un Julien différent, un Julien transformé en Gontran. Plus j'y pense, plus j'aime cette idée. Désir de revanche, diras-tu en fronçant les sourcils d'un air désapprobateur. Oui, bien sûr, désir de revanche. C'est la seule chose qui m'empêche de me sentir misérablement triste et abandonnée. Mais ça passera, ma chère Laurence. Ça finira bien par passer.

La bouteille de vin blanc n'est plus qu'un agréable souvenir (et un peu de brume dans mon esprit). J'en suis à présent au fond de marsala qui s'empoussiérait sur la tablette du haut dans la dépense. J'espère que tu n'avais pas l'intention de faire ta fameuse recette de ragoût de veau et champignons au marsala. Ce n'est pas évident, trouver du marsala le jour de Noël.

À quelle heure le soleil se lève-t-il, le 25 décembre? Le solstice d'hiver étant passé, les journées sont censées allonger, non? Allez, soleil, montre-toi le bout du nez. Qu'arrive-t-il à Cendrillon, au lever du jour? Récupère-t-elle sa belle robe, son carrosse, son prince? Ce serait drôle, tiens, que ma souris se transforme en Julien à la première lueur du jour. Le grille-pain exploserait d'un coup sec. Bang! Il y aurait des éclats de métal et des miettes de pain partout dans la cuisine. C'est Julien qui serait surpris. Tu imagines la tête qu'il ferait? Bon, ça y est, je ris toute seule. La fatigue sans doute. Ou le mélange vin blanc/marsala (assez horrible, soit dit en passant).

J'ai l'esprit de plus en plus embrumé. Ma souris, par contre, ne montre aucun signe de fatigue ou de diminution d'ardeur. Une si petite souris, avoir autant d'énergie, j'avoue que ça m'impressionne. Elle pourrait donner des cours de survie ou de pensée positive. Ou devenir le symbole de la résistance et de la persévérance. Fort comme un lion, rusé comme un renard, tenace comme une souris. On pourrait lui élever un monument. L'exhiber dans un cirque. Non, ça c'est cruel. (Je suis bien placée, tiens, pour parler de cruauté.) Laurence, Laurence, dis-moi quoi faire avec cette satanée souris.

Suis-je en train de rêver ? J'ai l'impression que le jour se lève. J'aurai donc survécu à ma nuit d'horreur. Mais il faut voir dans quel état. Pour tout dire, je me sens plutôt zombie. Cendrillon, tortionnaire, zombie... Une transformation n'attend pas l'autre. L'avantage de tous ces avatars, c'est que j'en oublie presque Julien et sa trahison. Je n'ai même pas de chagrin, ou si peu. Plutôt une grosse piqûre d'amour-propre. Il est vrai que je n'ai jamais été follement amoureuse de Julien. Au tout début, peut-être, il y a bien deux mois de cela. Mais son côté pompeux, sérieux et rigoureux m'a vite agacée. Tu te souviens de la fois où je lui ai fait tellement honte en riant trop fort au restaurant ? J'aurais dû le quitter à ce moment-là, en fait, et ne pas lui laisser le plaisir de me chasser en pleine nuit de Noël.

Mais, bon, cette nuit de Noël s'achève, et il est temps que je pense à autre chose.

Par exemple au fait que, dans moins de deux heures, je dois prendre l'autobus pour me rendre chez ma tante Irma, à Québec. À vrai dire, et en y pensant bien, je devrais peut-être commencer à me préparer. Je ne peux quand même pas aller là-bas avec une tête pareille. Pas plus qu'en robe de chambre à pois, d'ailleurs.

Désolée de te laisser avec le gros problème que représente la petite souris, mais... je me précipite sous la douche puis je m'envole pour Québec. Grosses bises. Joyeux Noël, bonne Saint-Valentin, arrivederci Roma, essuyez-vous les pieds avant d'entrer et mes salutations distinguées.

Karine

* * *

Sa lecture terminée, Laurence leva les yeux au ciel. Ça, c'était bien Karine. Des histoires abracadabrantes, et autant de sens pratique qu'une libellule ou un pissenlit. Sans vouloir insulter les libellules ni les pissenlits, bien sûr.

Un petit coup bien placé lui ayant appris que la souris était toujours vivante, Laurence saisit le grille-pain à bout de bras. Elle ouvrit la porte de la cuisine d'un vigoureux coup de hanche puis déposa doucement le grille-pain sur le balcon.

« Bonne chance, Gontran. Si tu as survécu au grille-pain, tu devrais pouvoir triompher du froid et de la neige. Joyeux Noël. »

* * *

Aux dernières nouvelles, Karine est éperdument amoureuse du jeune homme qui leur a vendu leur nouveau grille-pain. Il s'appelle Gontran.

UN MONSTRE DES MERS

NICOLE M.-BOISVERT

Dans ce pays où les vallons restent verts toute l'année, les grands vents d'automne ont commencé de souffler dur.

Aujourd'hui il y a quelque chose de douloureux dans l'air. Et cela n'a rien à voir avec le mauvais temps. Carol Thompson en est sûr. Le malaise vient d'elle, de Caroline, de sa Caroline Sinclair. Elle n'est plus comme avant.

Depuis qu'ils sont hauts comme trois pommes, Carol et Caroline se postent au sommet de cette falaise crayeuse le jour de la Toussaint. De là, ils dominent l'océan bouillonnant et cherchent les bateaux fantômes qui les effrayaient tant autrefois.

Chaque année, comme par hasard, le vent est déchaîné le jour de la fête des morts. Alors ils jouent à l'albatros. C'est un jeu secret qu'ils ont inventé il y a de cela bien longtemps.

Les jeunes adolescents se placent face à la mer, raidissent les jambes, penchent le torse en avant, déploient les bras comme des ailes d'oiseaux, comptent jusqu'à trois et se laissent tomber. Mais... ils ne tombent pas ! En fait, ils s'appuient sur le vent furieux qui souffle de l'Atlantique. C'est magique. Le vent les supporte. Ils se sentent un coeur d'astronaute et se grisent d'ozone. Ils rient, cheveux humides collés aux tempes, avalant l'iode à pleins poumons.

Caroline a le rose aux joues. Sans prévenir, elle effleure étrangement de sa main droite le bout des doigts de Carol. Il tressaille.

– Qu'est-ce qui te prend ? dit-il, surpris.

Décontenancée, elle hausse les épaules, remonte le col de sa vareuse et emprunte le chemin du village sans accorder un regard à son ami d'enfance. Le jeu est fini.

– Caroline, pourquoi tu boudes ?

– Je ne boude pas, idiot !

– Pourquoi on s'en va déjà, alors?

Elle n'écoute pas. Ses yeux verts, ses yeux pers sont troubles. Carol n'y comprend rien. Tout à l'heure, elle sautillait comme un cabri et la voilà qui prend un air d'enterrement.

– On dirait que depuis que tu as coupé tes cheveux, t'es plus comme avant...

– Ah, t'as remarqué? dit-elle d'un ton presque soulagé, et elle se met à courir.

En trois enjambées, Carol la rattrape. Malgré la grisaille, sa Caroline est lumineuse, douce et frondeuse à la fois. Pourtant, il n'arrive pas à lire les pensées que laissent filtrer les paupières sombres.

Une pluie grésillante tombe doucement.

– On va dans notre caverne? suggère Carol.

– Non, allons sur le bateau de papa, il y a de quoi bouffer, propose Caroline.

* * *

Le vieux voilier tout en bois vernis les accueille.

– Quel âge on avait déjà quand on a passé notre première nuit en mer? demande Carol.

– Tu ne te souviens pas ? Ma mère nous l'a répété au moins cinq mille fois. T'avais onze mois et moi quatre.

Caroline allume le four pour chasser l'humidité et faire sécher leurs vêtements trempés. Elle fouine partout et déniche des pulls qui sentent le moisi. Carol se change. Au moment de retirer ses pelures, Caroline s'arrête net.

– Ferme les yeux, ordonne-t-elle.

– Pourquoi ?

– Ferme les yeux, je te dis, je me change. T'es vraiment bête, toi, des fois.

Carol ne voit vraiment pas le problème. « Qu'est-ce qu'elle a aujourd'hui ? » se dit-il. Ils se connaissent depuis toujours, fréquentent la même école, partagent les mêmes jeux et les mêmes rêves. Alors, quoi ?

– Vous n'êtes vraiment pas drôles, vous les filles, avec vos simagrées, grogne Carol. Tiens, le vent a viré. Je vais voir ce qui se passe dehors.

Une petite embarcation à moteur accoste justement le voilier.

C'est Renaud, le frère aîné de Carol.

– Je te ramène à terre ? dit le frère. Le vent va forcir. T'es tout seul à bord ?

– Non... pis ça te regarde pas.

– T'es donc susceptible !

– Allez, fais de l'air. On t'a rien demandé.

– Ok, ok, je m'en vais... amuse-toi bien, le p'tit frère, lui lance Renaud, le sourire plein de sous-entendus. Elle est belle, au moins ? crie-t-il en lançant le moteur à fond.

– Va te faire f... !

* * *

Ça hurle dehors, mais c'est bon dedans. Pelotonnés l'un contre l'autre, l'atlas grand ouvert, Carol et Caroline continuent la préparation de leur grand voyage. Quand ils auront tous deux dix-huit ans, ils partiront, ensemble, avec le voilier, vers cette île appelée La Graciosa. Elle est sûrement belle, cette île au si joli nom. Paraît qu'il y a des volcans et que la vigne s'est remise à pousser dans la lave... Ils rêvent de sentir l'harmattan, ce vent chaud qui souffle du désert. Ça les changerait des vents glacés de leur pays.

Ils chouchoutent leur projet, rêvent de liberté et d'indépendance. Caroline examine furtivement son petit compagnon de jeu devenu tout grand. Avant son prochain anniversaire, il mesurera au moins un mètre soixante-dix-huit...

Carol se lève et remet pour la troisième fois leur disque préféré dans le lecteur. La musique ondulante réchauffe l'atmosphère mais le charme est vite rompu par un grincement anormal suivi d'un brusque claquement.

À toute vitesse, ils s'éjectent de la cabine sur le pont.

– Merde... la chaîne a cédé, constate Caroline en pâlissant.

Leur bateau dérive en travers vers la haute mer. À terre, personne. Tous les villageois sont à l'abri dans leurs salons douillets. Personne non plus sur les quatre barques de pêcheurs des alentours.

– Où est la clé du moteur?

– Y a pas de moteur, justement, répond Caroline.

– Tu rigoles?

– Il est en réparation...

Carol se précipite vers le casier de la radio VHF portative. Il est vide. Il implore Caroline du regard.

– P'pa l'a apporté à terre... à cause des voleurs.

C'est la catastrophe. Le bateau s'éloigne rapidement de la côte, les voitures qui zigzaguent dans les vallons rapetissent à vue d'oeil. La fumée des cheminées s'échappe à l'horizontale dans le vent qui augmente.

Un goût de cendres leur monte dans la bouche. Tous les circuits s'embrouillent dans leur tête. C'est la panique. Carol a mal là, juste en bas du sternum, et Caroline sent tous les muscles de son corps durcir comme de la pierre.

* * *

Debout dans le cockpit, fouettés par les embruns, Carol et Caroline ont hissé à demi la grand-voile. Le voilier n'avance guère.

– Il va faire nuit dans moins de deux heures, dit Caroline.

Elle a peur. Carol aussi. Ils la connaissent bien la mer, c'est vrai. Ils sont tous deux nés sur ses rivages. Mais la mer de novembre, ils la connaissent aussi. Celle qui se fait haineuse, imprévisible, dure et voleuse de marins.

– Faut monter au moins une autre voile, supplie Caroline.

– T'as raison, réplique Carol, mais le vent est trop fort, tout va partir en lambeaux. Allez, on tourne de bord, on va se laisser pousser vers le large.

Carol tient la barre. Son ciré dégouline d'eau salée et il se met à pester contre le propriétaire du bateau qui garde des bottes trouées à bord. Caroline rit doucement, puis de plus en plus fort. Finalement, elle pouffe et se prend les côtes. Carol, contaminé, éclate de rire aussi.

– Si on n'arrive pas à rentrer ce soir, dit Caroline, toujours secouée par les rires, on n'aura pas d'école demain !

Et les voilà repartis dans une rigolade sans fin. Carol redevient subitement sérieux.

– Renaud a dû remarquer l'absence du bateau. C'est sûr qu'il va donner l'alerte. Nos parents vont bien se rendre compte qu'on n'est pas rentrés coucher...

– C'est pas sûr ça, Carol, tu sais bien... Des fois on leur joue des tours: je leur dis que je vais coucher chez toi... tu leur dis que tu couches chez moi... et puis on va camper dans notre grotte !

– De toute façon, on va rencontrer un cargo qui va signaler notre présence, s'entête Carol.

– On n'a pas de radio VHF, Carol ! En pleine nuit ? Comment on va faire ?

– C'est vrai, et puis je ne sais pas si j'ai envie de rencontrer des navires marchands. Ils sont tellement gros, ils vont tellement vite. Pourvu qu'on ne se retrouve pas au milieu de la route de navigation, ajoute-t-il pensivement.

Caroline sait très bien à quoi fait allusion son ami. La fameuse autoroute des navires dont parle si souvent son père. Tous ces paquebots, ces pétroliers, ces transporteurs des mers qui se suivent à la queue leu leu, les uns voguant vers le sud, les autres naviguant vers le nord, et seulement quelques milles entre les deux voies.

– Mais c'est loin d'ici, affirme Caroline avec un point d'interrogation dans la voix.

– Ce n'est pas si loin que ça, à mon avis. Va dedans et essaie de faire un point à l'estime sur la carte.

Caroline se rembrunit et descend les marches qui mènent au carré.

* * *

La nuit noire enveloppe tout. Pas de lune, pas d'avion, pas de bouée lumineuse.

Rien qu'un petit voilier qui se fraye un chemin entre les vagues bruyantes. Carol est frigorifié.

– Va te réchauffer, dit Caroline, je prends la relève.

– Personne ne va venir nous secourir, à cause de la tempête.

– Alors il faut durer et rester au large. Va manger. J'ai fait cuire du riz et des oignons. Ça bourre. Quand le calme sera revenu, on fera route vers la terre.

– Ouais, laisse échapper Carol, mais en novembre ce temps peut tenir des jours et des nuits.

– Je sais. Mais nous deux on s'en sortira, tu verras.

Caroline s'approche. Elle enlace la taille svelte de son beau marin et pose sa tête au creux de son épaule. Elle voudrait lui communiquer sa foi. Mais surtout elle voudrait être réconfortée, tenue, embrassée. Ne comprend-il pas qu'il y a autre chose maintenant entre eux? Qu'elle n'est plus une petite fille! Qu'elle a un coeur tout gonflé d'amour pour lui? Que tout son être vibre!

Elle n'est plus son amie. Elle veut qu'il soit son amoureux. Elle a mille choses à lui dire. Pourquoi ne voit-il rien, ce triple idiot d'aveugle?

Carol ne voit rien. Il grelotte. Il est anxieux, inquiet. Il a pris la mer cent fois mais toujours avec un patron, un père ou un vieux loup de mer. Il est aux commandes en ce moment, avec Caro. Ils sont libres, enfin, mais c'est effrayant.

Carol s'échappe des bras de Caroline et se réfugie en cabine.

Caroline a du mal à tenir le cap. Des paquets d'écume charriée par l'air s'écrasent sur le pont. Les vagues en gros rouleaux grondent en poupe. La roue est dure et ses biceps chauffent. Malgré ses deux paires de chaussettes de laine, elle gèle. Inlassablement, elle scrute l'horizon. Des pensées tumultueuses l'assaillent. Le froid l'engourdit. Comble de malheur, elle a déjà envie de faire pipi. Elle s'en veut. Elle ne peut pas laisser la roue, elle ne veut pas faire remonter son copilote. Elle rêve de sa chambre confortable et de son pyjama de flanelle!

Des voix. Elle entend des voix. D'où cela peut-il bien venir? Elle tend l'oreille. On dirait une femme qui geint. Immobile, Caroline ne bat plus d'un cil. La plainte recommence, suivie de lamentations, puis d'un lourd sanglot. Elle lâche la barre une fraction de seconde, jette un oeil dans le carré. Ce n'est pas Carol; il est allongé en silence sur la couchette de garde. Elle reprend le gouvernail. Les gémissements s'accentuent. Il n'y a pourtant personne autour. La voix se tait. Caroline attend, fébrile. Rien. Les pleurs ont cessé.

Serait-ce des sirènes? Le mystère de ces ensorceleuses de marins n'a jamais vraiment été éclairci, se dit-elle.

Non, il n'y a personne. C'est ce vent maudit qui métamorphose sa voix pour mieux la berner! Elle n'est pas rassurée. Et si quelqu'un se trouvait vraiment dans l'eau glacée? Le vent gris et l'eau noire gardent leur secret.

* * *

Plus tard, c'est le bruit désordonné du grément, des poulies qui grincent et roulent sur le pont qui font remonter Carol à l'air libre.

– Qu'est-ce qui se passe? demande-t-il à Caroline, toujours à son poste dans le cockpit.

– L'horreur, répond-elle, il n'y a plus de vent.

Carol grimace, lève les yeux au ciel, et se met soudain à hurler AU SECOURS ! comme une bête prise au piège.

– Tu crois que ça sert à quelque chose ? s'impatiente Caroline.

– Non, mais ça défoule en maudit !

– Regarde... là... devant... sur babord, bafouille-t-elle.

– Quoi ?

– Là ! Des lumières... y en a plein...

Des feux verts, des feux rouges, des feux blancs dansent entre les vagues. Les jeunes marins fixent intensément les petits points brillants pendant de longues minutes. Ce sont des bateaux, nombreux, juste sur la ligne d'horizon.

– C'est l'« autoroute », finit par avouer Carol.

Caroline en reste bouche bée.

– Et devine où on est ?

– Juste au milieu. Sans vent et sans moteur !

Caroline est effondrée. Le petit yacht roule et tangue. Sanglée et bien attachée à une drisse manoeuvrée par Carol, la jeune fille grimpe en haut du mât. Elle s'agrippe à bras-le-corps à ce morceau de bois poisseux.

– Et alors ? lui crie Carol.

– Le courant nous pousse droit dans le trafic...

La frayeur les fige sur place.

* * *

De longues minutes plus tard, l'esprit combatif refait surface. Tant pis. Ils affronteront le pire. Ils préparent la corne de brume, le canot de sauvetage et les vestes, les fusées blanches pour signaler leur présence, les rouges en cas de détresse, le sac de survie.

– Prête ? s'enquiert Carol.

– Prête, répond Caroline, mais je ne sais pas exactement à quoi !

Ils s'arrêtent. Ils se regardent les yeux dans les yeux, longuement. Comme s'ils ne s'étaient jamais regardés auparavant. Une grande intensité émane de Carol, une douceur aussi. Il saisit les mains glacées et meurtries de Caroline et les porte à ses lèvres.

Caroline, émue, oublie un instant qu'ils se trouvent au milieu de la mer, flottant sur quelques mètres de bois, loin de tous et de tout et peut-être perdus.

– On va s'en sortir, chuchote-t-il en l'attirant doucement vers lui.

Ils restent là, presque heureux, se réconfortant de la chaleur de l'autre, balancés par la houle et les vagues défaites. Ils sont abasourdis. Un sentiment nouveau, bizarre et fulgurant, brûlant et terrifiant de puissance, vient de succéder à leur si tendre amitié.

Mais l'océan se charge vite de les ramener à la réalité. Une vague s'écrase à leurs pieds et, sans vent, le bateau n'obéit plus. Devant, les feux des navires grossissent dangereusement vite.

– Il faut hisser toutes les voiles pour être visibles, dit Caroline.

Ils s'exécutent, puis attendent en silence, tous leurs sens en éveil. Caroline glisse sa main dans celle de Carol.

– Le temps est venu, déclare finalement Carol.

Caroline acquiesce et lance une première fusée. La lumière blanche éclate dans le ciel d'encre alors que le bateau fait une glissade sur le dos d'une longue vague. Le petit parachute attaché à la fusée s'ouvre.

Freinée dans sa descente, la lumière blanche se balance une minute dans l'air et plonge dans la mer.

Carol surveille le mouvement des cargos, un oeil sur le compas, l'autre sur sa montre. Caroline lance la deuxième fusée.

– Crois-tu qu'ils nous ont repérés ? s'inquiète Caroline.

– Je ne crois pas... et j'ai tellement de mal à maintenir un cap.

Une autre fusée est lancée. Sans mot dire, les jeunes navigateurs espèrent le miracle. L'anxiété augmente. Les lunettes d'approche rivées aux yeux, Caroline tente de repérer quelque chose malgré le mouvement incessant du bateau.

– Ça y est, ça y est ! crie Carol, le premier navire modifie son cap, j'en suis sûr maintenant.

Caroline continue sa surveillance. Il y a au moins une douzaine de ces monstres dans les parages. Elle se met à supplier le ciel qu'un peu de vent s'amène. Tout à coup, elle blêmit. Trois feux rouges superposés sont apparus dans sa lorgnette. Droit devant.

– Carol ? dit-elle d'une voix d'outre-tombe.

– Quoi ? Quoi ? répète-t-il, effrayé par le ton de sa compagne.

– Là, là, dit-elle en pointant vers le large sur babord.

– Merde, ça s'peut pas.

Les pêcheurs en parlent souvent au village de ces trois redoutables feux rouges qui signifient que le cargo qui les arbore est dans l'impossibilité de manoeuvrer.

Pire qu'un iceberg, et quasi immergé tant sa cargaison est lourde, le gigantesque pétrolier s'avance en droite ligne vers le voilier.

– La voile a priorité sur les moteurs, affirme Carol pour se réconforter.

– Que veux-tu qu'on en fasse de notre priorité, hein ?

Caroline est furieuse. Son impuissance la fait rager. Elle sait qu'il faudrait des milles et des milles au pétrolier pour changer de cap ! Elle sait qu'il peut les couper en deux avec son étrave d'acier.

– Carol ! J'ai peur ! Il va nous foncer dessus. Qu'est-ce qu'on peut faire ?

– On va ramer. Va chercher les avirons, dit Carol d'un ton chargé d'adrénaline.

– T'es fou ? Ramer ? Ramer un voilier ? Ici ?

– Je te jure, Caro, il faut tout tenter pour s'éloigner. Rien que la succion et les remous de l'hélice peuvent nous faire chavirer. Vite!

Caroline est déjà à plat ventre en proue à pagayer avec un long aviron. L'effort est démesuré. L'épaule lui fait mal. Des larmes de détresse coulent le long de ses joues en feu. Mais elle continue.

À l'arrière, les mâchoires serrées, Carol enfonce sa rame dans l'eau à une cadence inhumaine. «Si le vent pouvait se lever un peu, juste un peu! Allez, Éol, force-toi donc», se surprend-il à implorer.

– Rame, rame! hurle-t-il à Caroline.

Tantôt ils pagaient. Tantôt ils se lèvent pour tenir à bout de bras la bôme et la grand-voile dans l'espoir de faire bifurquer le petit voilier sur tribord. Ils gagnent du terrain parfois. Ils en perdent aussi lorsqu'une énorme vague les bouscule.

Et quand, enfin, les toutes premières lueurs d'une aube maladive éclairent la mer, ils distinguent les moustaches blanches sous le nez du tanker.

Tout à coup, un gonflement sec des voiles fait pencher le voilier sur tribord.

Une grosse bouffée de vent vient d'arrondir la grand-voile.

Caroline, reconnaissante, lève les yeux. Mais le vent est déjà reparti. Les voiles faseyent à nouveau. Le monstre noir est si près qu'elle distingue des formes humaines qui s'agitent sur le pont. Le bruit sourd des moteurs envahit ses tympans. Dans une minute, deux minutes, ce sera la fin. La collision entre David et Goliath. L'odeur âcre de la peur suinte de partout.

– Caroline ! crie Carol.

Caroline agrippe son aviron et redouble d'effort. Tous deux poussent frénétiquement sur les rames avec une puissance dont ils ne se savaient pas capables.

Un deuxième souffle de vent enfle les voiles. Il tient... quinze secondes, trente secondes. Carol lâche l'aviron et barre. Les voiles demeurent tendues. Carol donne un angle au bateau pour l'éloigner du danger. Caroline n'arrête pas de ramer.

La distance entre le pétrolier et le voilier se rétrécit. Le face à face est inévitable. Carol et Caroline tremblent de la tête aux pieds.

– Nooon... nooonnn... je ne veux pas mourir ! Caroline, pousse !

La haute et fendante étrave s'avance. Petit à petit, le voilier gagne sur tribord et élargit la distance entre la vie et la mort.

Se toucheront-ils ? Des matelots inquiets et impuissants surveillent de la passerelle du pétrolier la lutte insensée du bateau en difficulté.

Arrive le moment crucial. La confrontation paraît certaine. Les matelots du pétrolier abaissent un canot de sauvetage. Carol ne peut réprimer le tremblement de sa lèvre inférieure. Caroline devient blanche.

Au tout dernier instant, deux vagues successives un peu plus grosses que les autres éloignent de quelques mètres le voilier du pétrolier. Ils se croisent. Déjà la houle générée par le monstre déstabilise le voilier. Et c'est en lettres grosses comme des maisons que les adolescents voient défiler le nom du navire.

Carol et Caroline sont statufiés. Le yacht se balance dans tous les sens et le pétrolier, interminable, n'en finit plus de s'étirer. Enfin, l'arrière de la forteresse flottante apparaît. Les matelots les saluent de larges gestes solidaires.

Caroline vacille et se jette dans les bras de Carol. Pas un mot n'est échangé.